HISTOIRES DRÔLES

Tome 40

Texte : Jeanne Olivier

Illustration de la couverture :
Philippe Germain

EH Héritage jeunesse

HISTOIRES DRÔLES N° 40

Illustration de la couverture : Philippe Germain

Photocomposition : Reid-Lacasse

© Les éditions Héritage inc. 1998
Tous droits réservés

Dépôts légaux : 1er trimestre 1998
Bibliothèque nationale du Québec
Bibliothèque nationale du Canada

ISBN: 2-7625-8820-0   Imprimé au Canada

LES ÉDITIONS HÉRITAGE INC.
300, rue Arran, Saint-Lambert (Québec) J4R 1K5
Téléphone : (514) 875-0327
Télécopieur : (514) 672-5448
Courrier électronique : heritage@mlink.net

À tous ceux et celles
qui aiment collectionner,
écouter et raconter des blagues.

Benoit : Connais-tu la différence entre des freins et un bébé?

Vincent : Non.

Benoit : Dans les deux cas, il faut les changer quand ils crient!

* * *

Monique : Mon père m'a offert un voyage en Afrique!

Jacques : Chanceuse!

Monique : Je vais aller faire un safari dans la jungle. J'espère que je vais voir des singes!

Jacques : Si tu as de la misère à en trouver, tu n'as qu'à te cacher derrière un arbre et à imiter le cri de la banane!

* * *

Marie-Pier : As-tu déjà vu un cochon voler?

Sylvain : Non.

Marie-Pier : Quoi? Tu n'as jamais vu d'aéroporc?

* * *

Henri : Oh, le beau chat!

France : Je l'ai eu la semaine dernière.

Henri : Comment s'appelle-t-il?

France : Je ne sais pas, il n'a pas encore voulu me le dire!

* * *

Toc! toc! toc!
— Qui est là?
— Pic.
— Pic qui?
— Pic omment ça va aujourd'hui?

* * *

Maribelle : Qu'est-ce qu'un maringouin?
Richard : Je ne sais pas.
Maribelle : C'est quelque chose que Noé aurait dû oublier d'embarquer dans son arche!

* * *

Le prof : Denis, peux-tu m'épeler le mot Québec?
Denis : La ville ou la province?

* * *

— Quel est le comble pour une poire?
— Je ne sais pas.
— Tomber dans les pommes!

* * *

Un soir, dans l'igloo, la maman esquimau raconte une histoire à ses enfants :

— Il était une fois un ogre qui mangeait les petits enfants. Un jour, en faisant une promenade en forêt, il aperçoit une petite maisonnette. L'ogre ouvre la porte et trouve deux enfants cachés dans le coin.

— Maman, qu'est-ce que c'est?

— Un ogre?

— Non, un coin?

***

Audréanne : Les cuisiniers sont des êtres cruels!

Jean-Claude : Hein? Pourquoi?

Audréanne : Parce qu'ils battent les œufs et fouettent la crème!

* * *

Pauline : Sais-tu combien ça prend de nigauds pour faire du maïs soufflé?

Carmen : Non.

Pauline : Cinq.

Carmen : Pourquoi?

Pauline : Un qui tient le chaudron, et quatre qui secouent le poêle!

* * *

— Qu'est-ce qu'un tlain?

— Je ne sais pas.

— C'est un moyen de tlanspolt qui loule sur une voie fellée!

* * *

Un homme qui se promène sur le bord d'un lac entend :

— Je ne sais pas nager! Au secours! Je ne sais pas nager!

Il repère la personne qui semble en train de se noyer et lui crie :

— Ça va, ça va! Moi non plus, je ne sais pas nager! Pourtant je ne me sens pas obligé de le crier à tue-tête!

* * *

— Quelle est la meilleure façon d'obtenir des œufs au miroir?

— Je ne sais pas.

— Faire manger de la vitre aux poules!

* * *

Le petit frère : Tu crois que la Lune est habitée?

La petite sœur : Mais oui! Tu ne vois pas qu'il y a de la lumière!

* * *

Louis apprend à faire de la bicyclette. Après la matinée passée à s'exercer, son père lui dit :

— Sans les petites roues, maintenant !

— D'accord, papa, répond-il, l'air très étonné.

Puis son père le voit descendre de la bicyclette, s'agenouiller par terre et sentir les petites roues !

* * *

11

Le prof : As-tu fait ton devoir, Marguerite?

Marguerite : Non.

Le prof : J'espère que tu as une bonne excuse!

Marguerite : Oui, c'est à cause de mon père.

Le prof : Quoi? Ton père t'a empêchée de faire tes devoirs?

Marguerite : Non, mais il ne m'a pas assez chicanée pour que je les fasse!

* * *

Le poussin : Poulet tu venir ici?

La poule : Tout de suite, mon coco!

* * *

Corinne : Avec quoi écris-tu, ta main gauche ou ta main droite?

Colette : Avec ma main droite.

Corinne : Ah bon, je croyais que tu écrivais avec un crayon!

* * *

Victor s'est cassé une jambe et ses amis sont venus lui rendre visite. Pour le désennuyer, ils décident de jouer aux cartes. Au bout d'un moment, un des copains se lève et dit, très en colère :

— J'en ai assez! Il y a quelqu'un ici qui triche! Je ne sais pas qui c'est, mais s'il continue, moi je lui casse l'autre jambe!

* * *

Je suis un nez qui s'écroule.
Un nez-boulement!

* * *

À une exposition :
— Je viens de voir votre tableau. C'est le seul devant lequel j'ai pu m'arrêter!
— Oh! vous me faites très plaisir!
— Devant les autres, il y avait trop de monde!

* * *

En pleine heure de pointe, un homme se promène par terre dans l'autobus et semble chercher quelque chose. Il accroche tout le monde, donne des coups de coude, fouille sous les bancs. Exaspéré, un passager lui demande :

— Mais que faites-vous là?

— Je cherche ma gomme à mâcher.

— Franchement, vous dérangez tout le monde pour une simple gomme à mâcher!

— Oui, mon dentier est dedans!

* * *

Gabriel trouve une vieille lampe. Il la frotte et un génie en sort.

— Mon enfant, as-tu un souhait à faire?

— Oh oui! Je souhaite que les vitamines soient dans le gâteau au chocolat et pas dans le brocoli!

* * *

Toc! toc! toc!
— Qui est là?
— Poulet.
— Poulet qui?
— Poulet tu me dire l'heure s'il te plaît?

* * *

Dans la salle d'opération :
— Ça va, docteur, je vous ai reconnu, vous pouvez enlever votre masque!

* * *

La mère : Qu'est-ce que tu dessines?

Nathalie : Ça représente la cuisine la fois où j'avais mangé la tarte que tu venais juste de faire.

La mère : J'ai beau regarder, mais je ne vois pas la tarte!

Nathalie : C'est normal, maman, je ne l'ai pas dessinée parce qu'elle est dans mon estomac.

La mère : Mais sur ton dessin, quand j'observe attentivement, je ne te vois même pas!

Nathalie : Mais maman, crois-tu que je suis restée dans la cuisine après avoir fait ça?

* * *

Larry : Hier soir j'ai bu neuf litres de lait au chocolat!

Madeleine : Pourquoi pas dix?

Larry : C'est ça! Tu me prends pour un cochon!

* * *

Madame Simard rencontre la fille de sa voisine au dépanneur le matin :

— Mais que fais-tu ici à une heure pareille? Tu vas être en retard à l'école!

— Je sais. Mais si j'arrivais à l'heure, je vous jure que mon prof en tomberait sans connaissance!

* * *

Le prof : Ce devoir est abominable! Je me demande bien ce que ton père dirait s'il le voyait?

L'élève : Je me le demande aussi, c'est lui qui l'a fait!

* * *

Deux amis font la jasette sur le chemin de l'école :

— Je suis tellement content! Mon prof est un ange!

— Pauvre toi! Le mien est encore vivant!

* * *

Le père : Est-ce que c'est vrai que tu as cassé ce vase sur la tête de ton frère?

Antoine : Oui, mais je ne l'ai pas fait exprès.

Le père : Tu ne voulais pas faire mal à ton frère?

Antoine : Non, je ne voulais pas casser le vase!

* * *

La mère : Je suis certaine que notre fille va devenir astronome.

Le père : Pourquoi?

La mère : Tu n'as pas remarqué? Elle est toujours dans la lune!

* * *

Au restaurant :
— Garçon, ce steak est dur comme de la roche!
— C'est normal, monsieur, c'est le plat de résistance!

* * *

La serveuse : Hier, un requin est venu manger au restaurant.

Le serveur : Quoi? Qu'est-ce qu'il a pris?

La serveuse : Il a commandé des pattes d'homme-grenouille!

***

19

Olivia : Peux-tu me prêter dix dollars, s'il te plaît?

Martine : Il n'en est pas question!

Olivia : Mais pourquoi?

Martine : Parce que chaque fois que j'ai prêté de l'argent à une amie, j'ai perdu cette amie!

Olivia : Oh, tu sais, dans le fond, on n'a jamais été vraiment amies, nous deux!

* * *

— J'ai tellement hâte à la fin de l'année que j'ai peur d'en perdre la tête!

— Bof, ne t'en fais pas! De toute façon, ce ne serait pas une grosse perte!

* * *

La poule : Brrrr! Il fait un froid de canard!

Le canard : Tu as raison, j'ai la chair de poule!

* * *

Je suis un nez foudroyant.
Un nez-clair!

* * *

Au restaurant :
— Je veux parler au gérant!
— Pourquoi?
— Ça fait quinze minutes que j'appelle un serveur et personne ne vient!
— C'est normal, monsieur. Ici, il n'y a que des serveuses!

* * *

Benoit trouve son ami Stéphane au garde-à-vous en plein milieu de la cuisine.
— Mais que fais-tu là?
— C'est ton frigo!
— Quoi, mon frigo?
— Ben... tu n'as pas vu? C'est un Général Électrique!

* * *

Deux cannibales discutent :
— Je suis découragé! Je ne sais pas quoi faire avec mon voisin!
— Veux-tu que je te prête mon livre de cuisine?

* * *

Marie-Fay : Dis-moi, Alexis, ça te rend donc bien nerveux ce concert de piano!
Alexis : Moi? Pas du tout! Je ne suis absolument pas nerveux! Je ne vois vraiment pas ce qui peut te faire dire ça!
Marie-Fay : Ah bon! C'est juste qu'en ce moment, tu es dans la toilette des filles!

* * *

Sandy : Quel est le comble de la paresse.
Jérémie : Je ne sais pas.
Sandy : Dormir debout, parce que c'est trop épuisant d'aller se coucher!

* * *

Sophie : Je me demande bien qui a répandu ce mensonge.

Justin : Quel mensonge?

Sophie : Que la Terre était ronde!

Justin : Mais ce n'est pas un mensonge! Voyons, Sophie, tout le monde sait que la Terre est ronde!

Sophie : Ah oui? Alors pourquoi mon prof n'arrête pas de nous raconter ses voyages aux quatre coins de la Terre?

* * *

Toc! toc! toc!
— Qui est là?
— Marie.
— Marie qui?
— Marie chesse, c'est la musique!

* * *

Jean-Philippe veut devenir politicien.
— Tu sais que tu devras faire des discours devant des centaines de personnes? lui dit son prof.
— Pas de problème! J'ai de l'expérience!
— Hein? Comment ça?
— J'ai eu un travail l'été dernier qui me demandait de parler à des milliers de personnes!
— Mais quel était cet emploi?
— J'étais engagé par le Stade olympique, et chaque jour je disais : Boissons gazeuses, croustilles, maïs soufflé! Boissons gazeuses, croustilles, maïs soufflé!

* * *

Toc! toc! toc!
— Qui est là?
— Mamie.
— Mamie qui?
— Mamie taine est restée dans l'autobus!

* * *

— Si tu plonges un homme qui a une grosse grippe dans la mer Morte, dans quel état en sort-il?
— Je ne sais pas.
— Mouillé!

* * *

Deux vaches sont en train de brouter près de la grange quand l'une d'elles tombe sur un livre : «Le parc jurassique». Elle commence à le mâcher, et sa copine lui demande :
— Il est bon, ton livre?
— Pas mal, mais j'ai préféré le film!

* * *

— Depuis la semaine dernière, j'ai perdu cinquante livres!

— Mais c'est impossible!

— Oui, ma bibliothèque a brûlé!

* * *

La sœur : Viens-tu avec moi dans les manèges?

Le frère : Oh non, moi ça me fait perdre la tête ces machins-là!

La sœur : C'est impossible!

Le frère : Pourquoi dis-tu ça?

La sœur : On ne peut pas perdre ce qu'on n'a pas!

* * *

La prof : Qui peut me dire ce que s'est exclamé celui qui a découvert l'électricité?

L'élève : Il n'a rien dit! Il était sous le choc!

* * *

Clara arrive à l'école tout excitée!

— Ma mère vient enfin d'avoir son bébé!

— Comment allez-vous l'appeler? lui demande son amie.

— Je ne sais pas.

— Quel drôle de nom!

* * *

27

Qu'est-ce qu'un jouet incassable?

— C'est un jouet qu'on reçoit à Noël et qui n'est pas encore brisé au jour de l'An!

* * *

Sébastien revient de l'école.

— Tu as passé une belle journée? lui demande sa mère.

— Oui. On a même fait un concours de chant et j'ai gagné dix dollars!

— Bravo! Ils t'ont remis ce prix parce que tu avais la plus belle voix?

— Non, ils m'ont donné l'argent pour que j'arrête de chanter!

* * *

Le prof : Où est située la ville de Québec?
L'élève : Sur la carte routière de mon père!

* * *

28

Deux voisins discutent :

— Moi qui depuis des années redoutais de me faire cambrioler! Eh bien, ça a fini par m'arriver!

— Pauvre toi! Tu veux dire que des voleurs sont entrés chez toi malgré tous les systèmes ultra perfectionnés que tu avais installés?

— Hé oui!

— Et qu'est-ce qu'ils ont volé?

— Tous mes systèmes d'alarme!

* * *

Le prof : Fabien, j'en ai assez! Ce soir tu vas me copier cent fois la phrase «Je suis pourri en français»!

Le lendemain matin, Fabien remet sa copie.

Le prof : Comment se fait-il que tu n'aies copié ta phrase que cinquante fois?

Fabien : C'est probablement parce que je suis aussi pourri en mathématiques!

* * *

À l'école, le professeur donne un cours de morale :

— On va parler du partage, du pardon et de l'amour qu'on doit avoir pour tous. Quand on souhaite une chose, il faut être capable d'en souhaiter cent fois plus aux autres, et même à son pire ennemi.

Le prof laisse les élèves réfléchir un peu à ce qu'il vient de dire.

— Annabelle, pense à quelqu'un que tu n'aimes pas beaucoup, et fais un souhait.

— D'accord. Moi, je souhaite avoir une toute petite indigestion!

* * *

Au restaurant :

— Garçon, voulez-vous me dire ce que fait cette mouche dans ma soupe?

— Je crois bien qu'elle nage sur le dos, monsieur!

* * *

Élise : Que fait une vache blanche à taches noires en plein soleil?

Patrice : Je ne sais pas.
Élise : Elle fait de l'ombre!

* * *

Estelle : J'ai entendu dire que ton père avait eu un gros accident?

Kevin : Oui, la porte de garage lui est tombée sur le pied!

Estelle : Oh la la! Qu'est-ce qu'il a dit au moment où ça lui est arrivé?

Kevin : Aoutch!

* * *

Normand : Es-tu capable de dire comment ça va en chinois?

Gilbert : Bien sûr!

Normand : Ah oui? Allez, vas-y!

Gilbert : Comment ça va en chinois!

* * *

Sabrina : Connais-tu l'histoire de la crêpe?

Lucie : Non, raconte-moi-la donc!

Sabrina : Ça ne me tente pas, elle est trop plate!

* * *

Une dame fête son centième anniversaire de naissance. Son arrière-petite-fille lui demande :

— Comment as-tu fait, grand-maman, pour vivre aussi longtemps?

— C'est simple! Depuis que je suis née, je n'ai jamais arrêté de respirer!

* * *

Un homme est en train de cuire dans la marmite d'un cannibale. Soudain, il a une idée de génie!

— Arrêtez! Arrêtez! crie-t-il.

— Quoi?

— Je ne suis pas mangeable! Je suis vraiment très mauvais!

— Pardon?

Il leur montre alors la cicatrice de son opération au ventre.

— Regardez, vos voisins ont essayé de me manger la semaine dernière, mais ils ont changé d'idée!

* * *

— Comment font les éléphants pour descendre d'un arbre?

— Je ne sais pas.

— Ils s'assoient sur une feuille et attendent l'automne.

* * *

Nicolas : Maman, sais-tu combien il y a de pâte dentifrice dans un tube?

La mère : Non.

Nicolas : Je peux te le dire maintenant, il y en a trois mètres...

* * *

Benjamin revient de l'école :

— Maman! J'ai presque eu cent dans mon examen!

— Bravo Benjamin! Je te félicite! Qu'est-ce qu'il te manquait?

— Il me manquait juste le 1 devant les deux zéros...

* * *

**Plonge, plonge pas?
J'y vais! Ensuite, je
plonge dans mon livre
d'histoires drôles!**

Roxanne arrive à l'école avec une grosse bosse en plein milieu du front.

— Que t'est-il arrivé? lui demande son professeur.

— Hier soir, j'ai participé à un concours de chant.

— Et puis?

— Je me suis fait lancer des tomates.

— Mais des tomates ne peuvent pas faire de si grosses blessures!

— Oh oui, quand elles sont en conserve!

* * *

Deux mères discutent :

— Chaque matin, je vais réveiller mon garçon, qui dort avec son chien. Mais ça prend un temps fou! Je suis obligée d'y retourner trois quatre fois! Je ne sais plus quoi faire!

— Je vais te donner un truc.

— Quoi?

— Prends le chat et jette-le dans le lit!

* * *

Papa maringouin : Faites toujours attention aux humains! Ils ne nous aiment pas du tout!

Fiston maringouin : Ce n'est pas vrai papa! Hier soir, il y en a un qui n'a pas arrêté de m'applaudir!

* * *

Nick : Connais-tu le comble de la propreté?

Johanne : Non.

Nick : Se laver les mains avec des gants pour ne pas salir le savon!

* * *

Au cinéma, un homme se présente au guichet :

— Donnez-moi un billet, s'il vous plaît.

— Oui monsieur! C'est pour «Le vampire de New York»?

— Non, c'est pour moi!

* * *

Toc! toc! toc!

— Qui est là?

— Kelly.

— Kelly qui?

— Kelly stoire veux-tu que je te raconte ce soir?

* * *

Dans la chambre d'Ariane, son amie Denise trouve un livre fermé avec un cadenas.

— Qu'est-ce que c'est, ce livre?

— Ah, c'est mon journal! J'ai décidé d'écrire l'histoire de ma vie.

— Ah oui? Comme c'est intéressant! Arrives-tu bientôt au chapitre sur la fois où je t'avais prêté dix dollars?

* * *

Monsieur et madame Térieur ont eu des jumeaux. Ils les ont appelés Alain et Alex!

* * *

Le frère : Marianne, téléphone!

Marianne : C'est qui?

Le frère : C'est Yves.

Marianne : Ah... Je n'ai pas envie de lui parler. Dis-lui que je suis sortie!

Le frère : Mais il ne me croira jamais!

Marianne : Bon! Passe-moi le téléphone, je vais le lui dire moi-même!

* * *

Le lundi matin, Marianne arrive à l'école très amochée.

— Pauvre toi! dit son prof. Qu'est-ce qui a bien pu t'arriver à la tête?

— Je me suis fait piquer par une guêpe.

— Et c'est pour ça que tu as un si gros pansement?

— C'est parce que mon frère l'a tuée avec son bâton de baseball!

* * *

Chantal : Maman, j'ai fini d'écrire ma lettre. Peux-tu la mettre dans une enveloppe, s'il te plaît?

La mère : Bien sûr. Cinq pages? C'est une longue lettre! Elle est pour qui?

Chantal : Mon cousin Benoit.

La mère : Oups! tu as oublié d'écrire ton nom au bas de la lettre!

Chantal : Mais non, je n'ai pas oublié! Je veux lui faire une surprise!

* * *

L'agent de bord : Monsieur, veuillez attacher votre ceinture!

Le passager : Ce n'est pas nécessaire, j'ai des bretelles!

* * *

Je suis un chat qui transporte le foin.
Un chat-riot.

* * *

François : Maman, je ne peux pas aller à l'école ce matin, j'ai trop mal à la tête!

La mère : Je vais te préparer quelque chose pour régler ça.

François : Quoi?

La mère : Je vais faire une bonne tisane aux radis avec quelques gouttes de tabasco, d'alcool à friction et de jus de betterave.

François : Hé, ton mélange va m'empoisonner!

La mère : Peut-être, mais au moins tu n'auras plus mal à la tête!

* * *

Trois astronautes sont en orbite autour de la Terre. Deux d'entre eux sortent de la navette pour une petite expédition dans l'espace. Quand ils veulent revenir à l'intérieur, ils trouvent la porte barrée. Surpris, ils frappent. Pas de réponse. Ils frappent encore plus fort. Toujours pas de réponse. Ils ne la trouvent vraiment pas drôle! Alors, ils se mettent à tabasser la porte de toutes leurs forces! Ils entendent finalement la voix de leur copain qui demande, inquiet :

— C'est qui?

* * *

Deux copains discutent :

— Tu sais que tu me fais beaucoup penser à Daniel.

— Tu trouves? Pourtant il me semble que je n'ai rien de commun avec lui!

— Oui, car lui aussi me doit deux dollars!

* * *

À l'hôtel, un nigaud prend sa douche avec son parapluie ouvert au-dessus de lui.

— Mais pourquoi fais-tu ça? lui demande son copain.

— J'ai oublié ma serviette!

* * *

Monsieur cannibale annonce à sa famille :
— Ce soir nous avons quelqu'un à souper.
— Qui? Qui?
— Le voisin.
— Mais où est-il?
— Dans la marmite!

* * *

Amélie : Qu'est-ce qui est noir, blanc, noir, blanc, noir et blanc?

Anne-Marie : Je ne sais pas.

Amélie : Un chef d'orchestre qui déboule l'escalier!

* * *

— Maman, tous les élèves m'appellent blé d'Inde!

— Mais pourquoi?

— Je pense qu'ils maïs...

* * *

Le prof : Qu'est-ce qu'un synonyme?

L'élève : C'est un mot qu'on utilise à la place d'un autre dont on ne connaît pas l'orthographe!

* * *

— J'en ai assez!

— De quoi?

— Chaque nuit, je rêve que je mange du spaghetti.

— Mais c'est plutôt comique comme rêve!

— Tu trouves! Il y a juste un détail qui m'énerve. Chaque matin quand je me réveille, mes lacets ont disparu!

* * *

Cathy : Il y a une chose qui m'intrigue!

Le prof : Quoi?

Cathy : Comment font les poussins pour entrer dans la coquille de l'œuf sans la briser?

* * *

Dominique : Connais-tu la différence entre une toilette et un frigo?

Raphael : Non.

Dominique : Ah bon! Sais-tu, l'invitation que je t'avais faite pour vendredi soir, tu peux laisser faire!

* * *

Deux mères discutent :

— Mon fils est le seul à avoir réussi son examen d'anglais la semaine dernière!

— Ah oui? Eh bien, moi, ma fille, elle peut faire une chose que personne d'autre qu'elle n'est capable de faire.

— Quoi donc?

— Lire son écriture!

* * *

— Connais-tu l'histoire du lit vertical?

— Non.

— C'est une histoire à dormir debout!

* * *

47

Un jeune mille-pattes s'en va chez le médecin.

— J'ai une patte qui me fait mal, docteur!

— Pauvre petit! Dis-moi vite laquelle, je vais regarder ça tout de suite!

— C'est ça le problème! Je ne peux pas vous le dire! Je sais compter seulement jusqu'à vingt...

* * *

Le prof : Qui peut me nommer les trois mots qui contiennent le plus de lettres?

L'élève : Bureau de poste!

* * *

Lison : En fin de semaine, je suis allée voir le dernier film de mon acteur préféré. Les gens faisaient la queue!

France : C'était si bon que ça?

Lison : Pas du tout! C'était tellement mauvais que les gens faisaient la queue pour sortir!

* * *

Un clown visite son médecin :
— Docteur, il y a des jours où je me sens tout drôle...

* * *

Gaston tombe sur un cannibale, qui lui dit :
— Tu as l'air bien bon!
— Oh oui, j'ai eu plein de belles notes dans mon dernier bulletin!

* * *

Rosange : Pourquoi tu amènes toujours ton lunch à l'école?
Joël : Parce qu'il ne sait pas marcher!

* * *

Je suis un chat tout mélangé.
Un chat-rivari!

* * *

Stéphane : Connais-tu la différence entre un dentiste et un professeur?
Mario : Non.
Stéphane : Le dentiste nous dit d'ouvrir la bouche et le professeur nous dit de la fermer.

* * *

Chez le médecin :

— Docteur, je ne me sens pas très bien ces temps-ci.

— Bon, je vais vous examiner.

Le médecin prend le poignet de son patient pour vérifier son pouls.

— Mais cher monsieur, vous m'avez l'air en parfaite santé! Votre cœur bat avec la régularité d'une horloge!

— Euh... docteur, vous avez la main sur ma montre!

* * *

Je suis un nez à bout de forces.
Un nez-puisé!

* * *

— Connais-tu le numéro de téléphone de la poule?
— Non.
— 444-1919!

* * *

Nathalie : Sais-tu pourquoi les cannibales ne mangent pas de couteaux?

Luc : Non.

Nathalie : Pour ne pas se couper l'appétit!

* * *

— As-tu déjà habité la ville de Québec?

— Non.

— Alors tu dois connaître ma cousine Céline! Elle non plus elle n'a jamais habité Québec!

* * *

Luc : Pourquoi as-tu dit à mon frère qu'il était un imbécile?

Hubert : Je n'ai jamais dit ça!

Luc : Oui, tu l'as dit!

Hubert : Non!

Luc : Oui, je te jure que j'ai entendu ces paroles-là sortir de ta bouche!

Hubert : Impossible, je parle du nez!

* * *

Le professeur donne un travail à faire.

— Je veux que vous m'écriviez un texte de 50 mots sur votre animal préféré.

Le lendemain, Nadine, qui est toujours pleine de bonnes idées, remet ceci au professeur :

«L'année dernière, j'ai perdu mon chat. Quelle catastrophe! Je suis sortie et j'ai crié : Minou! minou! minou! minou! minou!...»

* * *

Toc! toc! toc!
— Qui est là?
— Magie.
— Magie qui?
— Magie belotte a l'air délicieuse!

* * *

— Mon sac est vide, mais il y a quelque chose dedans!
— Quoi donc?
— Un trou!

* * *

La prof : Christian, seize fois deux, combien ça fait?
Christian : Trente-deux!
La prof : C'est bien.
Christian : Comment ça, c'est bien? Ce n'est pas juste bien, c'est parfait!

* * *

Martin : Comment ça va?

Jérôme : Bof, pas très bien, j'ai un gros rhume de cerveau.

Martin : Mais c'est fantastique!

Jérôme : Comment ça?

Martin : Au moins ça prouve que tu en as un!

* * *

Le prof : Quel métier font les gens dans ta famille?

Mireille : Chez moi, mon père est maire, et mon frère est masseur!

* * *

Philippe regarde la course aux Jeux olympiques.

— Maman, pourquoi ils courent si vite?

— Ceux qui vont arriver les premiers vont gagner une médaille.

— Mais les autres, pourquoi ils courent?

* * *

Jean-Sébastien aperçoit une vieille dame sur un coin de rue. Il décide de lui faire une surprise et de l'aider à traverser. Il s'approche alors d'elle sans faire de bruit, la prend par le bras et traverse la rue. La vieille dame, tout étonnée, se débat et essaie de se sauver. Plus ils avancent, plus elle s'agite, tire le bras de Jean-Sébastien, lui donne des coups de sac à main sur la tête!

Une fois rendus de l'autre côté de la rue, Jean-Sébastien dit à la vieille dame :

— J'ai bien fait de vous aider! Vous semblez avoir vraiment très peur de traverser la rue!

— Ce n'est pas ça, petit chenapan, je venais juste de la traverser, la rue!

* * *

— Mes parents forment un couple idéal!
— Ah oui?
— Ma mère est prof de math et mon père a plein de problèmes!

* * *

Un homme entre dans un salon de coiffure. Étonnée, la coiffeuse remarque qu'il n'a qu'un seul cheveu sur la tête! Elle termine la

mise en plis de sa cliente, se demandant bien ce que cet homme fait là!

— J'aimerais faire laver mon cheveu, s'il vous plaît.

— Bien sûr, répond la coiffeuse.

— Et coupez-le un petit peu.

— D'accord.

— J'aimerais maintenant le faire sécher et le friser un peu. J'en serais tellement heureux.

À ce moment-là, la coiffeuse, par accident, arrache le fameux cheveu.

— Vous allez me le payer cher! hurle le monsieur. Et qu'est-ce que je vais faire? Je suis chauve maintenant!

* * *

Julie visite le Musée d'histoire naturelle avec sa classe. Avant d'entrer dans une pièce, le guide leur dit :

— Vous allez maintenant voir ce qui rend notre musée aussi célèbre. Il s'agit des ossements d'un dinosaure vieux de cent cinquante millions d'années et six ans.

— Mais comment pouvez-vous connaître son âge de façon aussi précise? demande Julie.

— C'est très facile! Quand on m'a engagé, on m'a bien dit que le dinosaure avait cent cinquante millions d'années. Et ça fait six ans que je travaille ici!

* * *

Quelle est la lettre la plus dangereuse?
La lettre H.

* * *

Un policier arrête un automobiliste qui roule à l'envers dans un sens unique.

— Voyons, monsieur! Vous n'avez pas vu les flèches?

— Mais où ça? Je n'ai même pas vu les arcs!

* * *

La mère : S'il vous plaît, les enfants! Voulez-vous fermer tout de suite la télé, je suis incapable de supporter la voix de cet animateur!

Le fils : Mais maman, la télé n'est pas ouverte, c'est le voisin qui vient t'emprunter un plat!

* * *

Chez le fleuriste, on peut lire sur une affiche : «Dites-le avec des fleurs!» Voyant cela, un homme demande une rose.

— Juste une?

— Oui, je n'ai pas grand-chose à dire!

* * *

L'école de Maxime organise un spectacle d'amateurs. Il décide d'y participer en présentant un numéro plutôt spécial. Il va manger 100 hamburgers un après l'autre sous les yeux des spectateurs!

Le soir du spectacle, la salle est pleine. Tous les élèves se sont donné rendez-vous! Maxime commence son numéro. Il mange son premier hamburger. Puis 10, 20, 50. Tout le monde est suspendu à ses lèvres! 70, 80, tout se passe bien. Au 90e hamburger, Maxime semble avoir des difficultés, il s'essuie le front, puis courageux, continue! Mais soudain, au 99e, c'est la catastrophe, il doit abandonner, incapable d'avaler une seule bouchée de plus!

Dans la salle, les gens hurlent! Tous ses amis qui croyaient en lui crient: «Chou!»

— Mais que s'est-il passé? lui demande l'organisateur du spectacle.

— Je ne comprends pas! Pourtant, cet après-midi à la répétition, tout avait si bien été!

* * *

— Est-ce que ça t'ennuie que je te parle de mon chien?

— Non non, pourvu que tu penses à me réveiller quand tu auras fini!

* * *

— Je crois que mon peigne a des caries.

— Mais qu'est-ce que tu racontes?

— Mais oui, il perd ses dents!

* * *

Deux copains discutent :

— Sais-tu quelles sont les choses qui font pleurer ma sœur?

— Non.

— Moi et les oignons!

* * *

— As-tu eu des beaux cadeaux à Noël?

— Oh oui, j'ai reçu des tas de belles choses! Mais j'ai eu une guitare que j'ai jetée à la poubelle.

— Pourquoi?

— Elle avait un trou en plein milieu!

* * *

Deux nigauds se promènent dans la ville. L'un d'eux aperçoit un miroir sur le trottoir, le prend et dit :

— Voyons? Il me semble que je le connais, celui-là.

Son copain prend le miroir à son tour, regarde et répond :

— Mais oui, tu le connais! C'est moi!

* * *

— Sais-tu ce que signifie le mot coïncidence?

— C'est bizarre, j'allais justement te poser la même question!

* * *

Loïc : Pourquoi les oiseaux migrateurs volent-ils jusqu'au Mexique?

Lisa : Je ne sais pas.

Loïc : Parce qu'à pied, ce serait bien long!

* * *

Deux copains discutent :

— Alors, comment te débrouilles-tu à bicyclette?

— Pas mal, j'ai réussi à faire le tour du bloc deux fois de suite.

— Bravo! Moi aussi je fais du progrès!

— Ah oui? Tu es maintenant capable de te tenir tout seul sur deux roues?

— Non, pas tout à fait, mais maintenant quand je tombe, je ne me fais presque plus mal!

* * *

Lisette : Pourquoi tu n'arrêtes pas de bouger les jambes quand on va au cinéma?

Alain : Pour éloigner les serpents.

Lisette : Mais il n'y a pas de serpent au cinéma!

Alain : Alors tu vois, ça marche mon truc!

* * *

Au restaurant :
— Garçon! Il y a une mouche dans ma soupe!
— Chut! monsieur! Ne le dites pas trop fort.
— Mais pourquoi?
— Parce qu'il n'y en a pas pour tout le monde!

* * *

Le prof : Alberte, sais-tu ce qui s'est passé à Montréal pendant l'été 1976?

Alberte : Comment voulez-vous que je le sache quand je ne suis même pas capable de me rappeler ce que j'avais comme devoir hier?

* * *

Le professeur a besoin de quelqu'un pour s'occuper de l'argent de la classe. Un élève se propose.

— Tu viendras me voir après l'école, lui dit le prof. Je vais t'expliquer en quoi consistera ta tâche.

— D'accord.

— En passant, je voudrais m'assurer de quelque chose : as-tu déjà commis des actes malhonnêtes?

— Non, mais vous n'avez aucune inquiétude à vous faire, j'apprends très vite!

* * *

— Comment dormait Beethoven à la fin de sa vie?

— Je ne sais pas.

— Sur le do sur le sol!

* * *

La mère : Comment s'est passé ton cours d'éducation physique?

La fille : Très mal! Tu avais oublié d'écrire mon nom sur mes vêtements comme le prof nous l'avait demandé!

La mère : Mais voyons, ce n'est pas si grave!

La fille : Ah non? Eh bien maintenant, tout le monde m'appelle 100% coton!

* * *

— J'arrive de chez le dentiste. J'avais une dent à faire réparer.

— Tu dois te sentir bien maintenant!

— Je comprends! Le dentiste n'était pas à son bureau!

* * *

Un homme qui déteste se laver déclare :

— Moi, je prends mon bain une fois par année, sale ou pas sale!

* * *

Chez le médecin :
— Docteur,
de ces temps-
ci j'ai un
a p p é t i t
d'oiseau, je
t r a v a i l l e
comme un
cheval et je

ris comme un
singe. Que me con-
seillez-vous?

— Prenez rendez-vous
avec un vétérinaire!

* * *

Une mère demande à son fils de 13 ans d'aller chercher un pain dans le congélateur au sous-sol. Le garçon ouvre la porte du congélateur et un fantôme apparaît en disant :

— Je suis le fantôme du congélateur.

Le garçon laisse tomber le pain et remonte en criant :

— Maman, il y a un fantôme dans le congélateur.

La mère décide d'envoyer son fils de huit ans. La même chose survient. Elle dit à son tout jeune fils :

— Vas-y donc, toi!

Le jeune enfant descend, ouvre la porte du congélateur.

— Je suis le fantôme du congélateur!

— Et moi je suis le roi des couches XYZ!

* * *

— Qu'est-ce qu'un volcan?

— C'est une montagne qui a le hoquet!

* * *

Je suis un nez qui passe la journée dans la nourriture.

Un nez-picier.

***

Un homme arrive au travail, une jambe dans le plâtre. Son collègue lui dit :
— Comment t'es-tu fait ça?
Et l'autre de lui demander :
— Tu vois cette marche?
— Oui, je la vois!
— Bien moi, je ne l'ai pas vue!

* * *

Toc! toc! toc!
— Qui est là?
— His
— His qui?
— His toires drôles que tu es en train de lire!

* * *

Alberto : Je m'en vais visiter mon oncle en Afrique!

Olivier : Chanceux! Mais fais bien attention!

Alberto : Attention à quoi?

Olivier : À la chaleur! Il paraît qu'il fait 30 degrés à l'ombre!

Alberto : Ben... je ne suis pas obligé de rester à l'ombre!

* * *

— Comment on s'habille quand il fait froid?
— Très vite!

* * *

— Quel est le mois le plus court?
— Le mois de mai, il n'a que trois lettres!

* * *

Toc! toc!toc!
— Qui est là?
— Lana.
— Lana qui?
— Lana tomie!

* * *

Flora : Savais-tu que la fleuriste avait deux enfants?
Hortense : Je l'ignorais. Sont-ils âgés?
Flora : L'un est un génie à peine éclos et l'autre est un débile en fleurs.

* * *

Un papa présente sa jeune fille au directeur d'école en lui disant qu'elle vient à peine d'avoir cinq ans.

— Monsieur, explique ce dernier, vous savez très bien que votre fille ne peut être admise en première année. Vous venez de me dire qu'elle a tout juste cinq ans.

— Je suis certain que ma fille peut passer le test des élèves de six ans, répond le père.

— C'est ce que nous allons voir, fait le directeur en s'adressant à la fillette. Pourrais-tu me dire quelques mots qui te traversent l'esprit?

D'un air très sérieux, l'enfant demande au directeur :

— Préférez-vous des phrases bâties selon la stylistique et qui se voudraient l'expression logique de ma pensée, ou vous contenteriez-vous que j'articule des mots tout simples, compréhensibles, que je pourrais facilement puiser dans ma fertile imagination?

* * *

— J'en avais tellement assez d'entendre ma sœur dire qu'elle voulait déménager dans les Antilles que j'ai dessiné un soleil sur le mur de sa chambre!

— Et puis? Est-ce que ça lui a fait du bien?
— Oh oui! Elle est déjà toute bronzée!

* * *

Un garçon qui vient de voler une dinde commence à la plumer. Voyant arriver le policier, il la jette dans un ruisseau.

— Vous êtes pris, dit le policier, vous venez de voler une dinde!

— Moi, pas du tout!

— Ah oui? Et qu'est-ce que ce petit tas de plumes à vos pieds?

— Oh, ça? C'est une dinde qui voulait se baigner et qui m'a demandé de garder ses affaires.

* * *

Le client : Pourriez-vous me faire un sandwich aux papates pilées sur pain de seigle?

Le serveur : Pardon? Je n'ai jamais entendu une personne sensée demander un sandwich aux patates pilées sur pain de seigle!

Le client : Dans ce cas, je vais prendre mon sandwich aux patates pilées sur pain de blé.

* * *

CONCOURS

Tu dois connaître, toi aussi, de courtes histoires drôles. Alors, pourquoi ne pas nous en faire parvenir quelques-unes?

Parmi celles reçues, certaines seront retenues pour publication et l'auteur(e) recevra une surprise.

Participe le plus vite possible et envoie tes histoires drôles à :

CONCOURS HISTOIRES DRÔLES
Les éditions Héritage inc.
300, rue Arran
Saint-Lambert (Québec)
J4R 1K5

Nous avons hâte de te lire!
À très bientôt donc!

Achevé d'imprimer en janvier 1998 sur les presses de
Payette & Simms inc. à Saint-Lambert (Québec)